Shirley Souza

NA CORRERIA

ilustrações
Fábio Sgroi

PANDA BOOKS

Texto © Shirley Souza
Ilustração © Fábio Sgroi

Diretor editorial
Marcelo Duarte

Projeto gráfico e diagramação
Vanessa Sayuri Sawada

Diretora comercial
Patth Pachas

Impressão
BMF

Diretora de projetos especiais
Tatiana Fulas

Coordenadora editorial
Vanessa Sayuri Sawada

Assistente editorial
Olívia Tavares

CIP – BRASIL. CATALOGAÇÃO NA FONTE
SINDICATO NACIONAL DOS EDITORES DE LIVROS, RJ

Souza, Shirley
Na correria / Shirley Souza; ilustração Fábio Sgroi. – 1ª ed. –
São Paulo: Panda Books, 2018. 80 pp. il.

ISBN: 978-85-7888-717-9

1. Ficção. 2. Literatura infantojuvenil. I. Sgroi, Fábio. II. Título.
Bibliotecária: Leandra Feliz da Cruz – CRB-7/6135

| 18-52559 | CDD: 808.899292 |
| | CDU: 82-93(81) |

2018
Todos os direitos reservados à Panda Books.
Um selo da Editora Original Ltda.
Rua Henrique Schaumann, 286, cj. 41
05413-010 – São Paulo – SP
Tel./Fax: (11) 3088-8444
edoriginal@pandabooks.com.br
www.pandabooks.com.br
Visite nosso Facebook, Instagram e Twitter.

Nenhuma parte desta publicação poderá ser reproduzida por qualquer meio ou forma sem a prévia autorização da Editora Original Ltda. A violação dos direitos autorais é crime estabelecido na Lei nº 9.610/98 e punido pelo artigo 184 do Código Penal.

Para os parceiros de criações e empreitadas: Erika, Fábio, Manuel, Marcello e Tati.

Vocês ajudaram esse sonho a ganhar o mundo da realidade!

SUMÁRIO

Esquisita 7
Preocupado 14
Encrenca 19
Resultado 25
Tudo junto 28
Boas Festas 34
Ano-Novo 37
Apareci 38
Carnaval 39
Mesário 41
É amanhã 43
Notícias quentes 45
Xereta 48
Canseira 52
Correria 54

Quase 56
Reta final 57
E agora? 58
Já foi 60
Estou sozinho 62
Parabéns 64
Ho! Ho! Ho! 66
Treinar 67
Correndo 69
Regionais 71
Vivaaaa!!! 73
Vou correr atrás 76

Os autores 80

Hoje está um dia muito estranho... Não tem sol, mas faz um calor forte, abafado... O céu está cheio de nuvens, mas não parece que vai chover... E eu não decidi pegar este caderno para falar do tempo. Que coisa!

Catei o caderno do ano passado, que tem um monte de folhas em branco, para desabafar.

Não tenho ninguém com quem conversar.

Quer dizer, tem o Kauã, meu melhor amigo. Mas ele sempre dá uns palpites bem furados... Então, não é tudo que dá para falar com ele.

E como não posso conversar com ninguém sobre meus problemas, decidi escrever... fazer um tipo de diário, eu acho... Mas não diário de menininha, entende? O meu é um negócio de menino. É mais um desabafandário.

Desabafandário. Que nome feio...

Melhor chamar você de Desaba. O que acha?

Então, Desaba... Vou direto ao assunto: briguei com meu pai. De novo. E dessa vez foi feio.

Estou triste demais. Sei que prometi que não ia mais ficar assim por causa dele. Mas não consigo ficar na boa...

Aqui em Canoa Fria não tem muita coisa para fazer.

Então, a gente vai para a escola de manhã e depois fica vadiando, toma banho de rio, passeia na praça, anda de bicicleta, brinca na rua, empina pipa, essas coisas. E também aposta corrida. Meu avô conta que, quando ele tinha a minha idade, a molecada já apostava corrida lá na estrada do Riacho Grande. É uma tradição aqui de Canoa Fria.

E o que isso tem a ver com a briga que tive com meu pai? Já chego lá! Calma!

É que hoje, depois da aula, não vim para casa almoçar.

Quando eu voltava da escola, com o Kauã, encontrei os meninos do 6º ano lá na estrada do Riacho Grande. Eles iam apostar uma corrida e eu fiquei por lá, para participar...

Assim, eu sou do 4º ano, não converso com esses grandões, mas corro mais do que todo mundo nessa cidade! Bem... acho que corro. É que eu gosto de correr!

Sempre vou para a escola correndo e levo bronca da professora porque chego suando na sala. Na saída, volto correndo para casa e levo mais bronca ainda da minha mãe. Ela fala assim:

– Você não sabe andar, não, menino? Um dia cai e se arrebenta!

Mas eu não caio, não.

Como eu disse, os meninos estavam lá para a tal da corrida e foi o Kauã, meu melhor amigo, quem teve a ideia e me chamou:

– Vamos lá, Cris! A gente desafia os grandões e mostra quem é que corre mesmo na nossa escola!

Eu falei que não podia, que minha mãe ia ficar preocupada comigo e ia reclamar com meu pai e daí já viu... Eu ia levar uma baita de uma bronca!

Acontece que a gente está entrando em época de prova lá na escola, e no bimestre passado eu não fui muito bem, não... Até tirei uma nota vermelha em ciências.

O meu pai disse que se eu brincasse menos, ficasse menos na rua e estudasse mais, passaria de ano tranquilo.

Agora ele anda de marcação: se eu me atraso quando saio da escola, ele quer saber direitinho o que eu fiz. E minha mãe conta tudo para ele. Por isso, ando mais quieto, tentando estudar e evitando encrenca.

Mas o Kauã é bom em convencer as pessoas. Pelo menos ele é bom em me convencer.

...

Hããã...

Para falar a verdade, nem sei como ele me convenceu. Só sei que participei da tal corrida.

Foi o Kauã quem desafiou os grandões do 6º ano, que riram da nossa cara, mas deixaram a gente correr. O João Vítor, o maior, combinou de jogar nós dois no riacho se um deles ganhasse a corrida. Todos gostaram da ideia e riram mais ainda.

O Kauã chegou em terceiro lugar. Se dependesse dele, a gente ia voltar para casa encharcado!

Mas eu cheguei em primeiro. Ganhei fácil, e os grandões não riram mais. Nem deu tempo de comemorar minha vitória sensacional porque precisamos sair correndo de lá. Eles queriam atirar nós dois no Riacho Grande mesmo assim, com material da escola e tudo!

Escapamos depois de muita correria e gritaria, e eu voltei para casa feliz da vida: ganhei dos grandões!!!

Voltei correndo, é claro! Até porque queria tirar um pouco do atraso por ter participado da competição.

Achei que ia dar um jeito de explicar para minha mãe e que tudo ficaria bem. Mas acontece que meu pai estava em casa. A obra tinha acabado e ele voltou mais cedo para almoçar... e não encontrou a família reunida, como ele gosta.

Aqui em casa, toda refeição é com a família reunida à mesa. Até quando meu pai está trabalhando, ninguém pode comer fora do horário ou na frente da televisão.

O seu Zé, meu pai, estava esperando no portão. Com uma cara nada boa!

Eu tentei explicar. Falei a verdade sobre a corrida desafiadora, mas ele não gostou do que ouviu e disse assim:

– Você devia é pensar em estudar, moleque! Eu dou pra você a oportunidade que eu não tive! É melhor aproveitar ou logo vai trabalhar na obra comigo.

Ele sempre fala isso. Vive repetindo que eu preciso estudar enquanto posso... Que logo vou ter idade para ajudar nas obras. Ele é pedreiro e acha que vou ser o servente dele assim que "tiver tamanho", como ele fala. Eu não quero, não...

E eu estudo. Sério. Até que não sou um aluno daqueles péssimos. Mas também não sou dos melhores da sala. Eu concordo quando ele fala que só estudando vou ter chance de conquistar uma vida legal. Eu quero poder ajudar meus pais quando eles estiverem assim, bem velhinhos.

O meu pai sabe disso. Acompanha minhas notas de perto. Mas ele nunca elogia, entende? Se eu tiro uma nota vermelha, ele está sempre lá para dar bronca e falar que vai me colocar para trabalhar. Se eu tiro um B, igual na prova de matemática, não fala nada. Elogio, nunca!

É com isso que eu fico triste, Desaba. Por que ele não enxerga o que eu tenho de bom?

Então, voltando ao assunto: eu briguei com meu pai. É que ele veio com a mesma bronca de sempre:

– Larga essa besteira de correr, moleque! Isso não vai te levar a lugar nenhum nessa vida! Você corre pra quê? Pra onde? Não faz sentido, menino! Se ainda fosse pra correr atrás de uma bola, até entenderia... Mas correr assim, sem mais nem menos. Coisa mais besta! Um dia ainda apanha dos meninos maiores!

Meu pai é fanático por futebol. O sonho dele era ter um filho boleiro. Teve dois filhos homens, eu e o Cleiton, meu irmão mais novo. O Cleiton até gosta de futebol, mas é muito ruim de bola. Sempre que vai jogar com os amigos é o último a ser escolhido para o time.

Também tenho duas irmãs mais novas: a Camila e a Cláudia. Elas são gêmeas e adoram futebol, mas meu pai diz que futebol é coisa de homem e que elas ainda são muito pequenas para saberem do que gostam ou não. Minha mãe rebate, dizendo que isso é besteira e que se as gêmeas quiserem jogar bola, vão jogar e pronto, porque hoje mulher pode fazer de tudo. Eita, dona Matilde!!! Minha mãe é fogo!

Ah... E tem eu, né? Bem, eu já disse: gosto é de correr e não é atrás de bola, não.

Sempre que eu tento falar com meu pai sobre isso dá briga, igual hoje.

Ele diz que não conhece nenhum corredor famoso que deu certo na vida, que ninguém sabe o nome dos corredores, que corredor nem tem torcida, que se eu gosto de esporte, devia era correr atrás de uma bola e ponto-final, que jogador de futebol pode ser alguém muito importante, pode subir na vida. Parece que ele acha mesmo que um dia vai me convencer.

Eu não gosto de futebol. Quer dizer, até gosto, mas só de ver na TV e de torcer. E não sou fanático como meu pai. Gosto mesmo é de correr!

Quero ser corredor, igual àqueles que vejo na televisão correndo a São Silvestre no fim de ano. Quando estou correndo me sinto feliz, mas toda vez que explico isso, meu pai faz um "hãn-hãn" e sai, me deixa falando sozinho e eu fico louco da vida com isso.

Hoje foi assim e estou triste demais!

Ele me pôs de castigo...

Fala que sou grande, que sou quase um homem, que já

tenho dez anos (*fiz na semana retrasada!*). Mas, na hora em que é para dar bronca, me trata igual à criança pequena.

Castigo??? Como pode?

Vou ficar em casa o fim de semana todo, estudando para as provas da semana que vem.

E olha que tem a Festa da Gabiroba na cidade! Todos os meus amigos vão! Não é justo! O que eu fiz de errado?

Eu estou é com vontade de rasgar esse desabafandário.

Melhor parar de escrever antes que eu rasgue mesmo!

PREOCUPADO

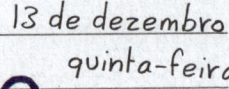

13 de dezembro
quinta-feira

Hoje é um dia muito especial para mim, Desaba. Mas, antes de contar essa história, preciso explicar essas manchas em suas páginas. Desculpe por ter derrubado você na lama!

Minhas irmãs estão brincando no nosso quarto. Meu irmão está vendo TV na sala. Minha avó está na cozinha fazendo bolinho de chuva... Então, só sobrou o banheiro e o quarto dos meus pais. Preferi vir aqui para o quintal escrever. Só não achei que fosse derrubar você quando eu subi nesta árvore. E não tenho culpa de ter chovido e de ter essa poça de lama bem aqui embaixo. A culpa foi desse meu pé machucado, eu acho.

Bom, em todo o caso, desculpa aí, Desaba. Não é porque suas folhas ficaram meio sujas que eu gosto menos de você, tá bom?

Assim, agora vou explicar por que esse dia foi especial.

Eu estou de férias. Passei direto! Estudar deu certo. Não passei com as notas mais lindas desse mundo, mas, pelo menos, não fiquei de recuperação.

O Kauã também passou direto. Hoje cedinho ele apareceu aqui em casa, me chamando. Disse que tinha um pessoal na pracinha pegando nome de quem quisesse fazer esportes nas férias. Eu quase nem fui. Pensei assim: *vai ter só jogo com bola e não estou a fim...*

Mas o Kauã é bom em me convencer, lembra?

Quando percebi, já estava na pracinha, esperando numa fila cheia de meninos e meninas, da minha escola e de outras também.

Ficamos um tempão lá! Mas foi legal, a gente conversou bastante, falou muita besteira e riu até!!!

Montaram uma tenda na praça, onde as pessoas entravam e ficavam por um bom tempo. Do lado de fora era uma agitação, todo mundo tinha um palpite sobre o que acontecia lá dentro. Tudo meio absurdo, sabe?

Um carinha falou que viu o rei Pelé chegando e que aquilo era uma seletiva, que o Pelé ia escolher novos talentos para jogar na Seleção Brasileira. Pode? Muita bobagem.

Eu entrei com a segunda turma.

Dentro da tenda tinha um monte de cadeiras e um telão. Assistimos a um filme curtinho falando sobre atletas das Olimpíadas e contando que os esportes mais antigos são chamados de atletismo.

Quando acabou, um homem apareceu com o microfone e explicou que o projeto deles era a prática do atletismo, que quem tivesse interesse precisaria se inscrever com o pessoal lá no fundo da tenda.

Acho que ninguém entendeu direito, porque todo mundo foi se inscrever e eu vi um monte de menino falando que ia escolher futebol. No filme que vimos não tinha nenhum jogo com bola, não...

Segui o Kauã para a fila, sem saber o que fazer. Eu não sou nada parecido com aqueles atletas que vi, mas tinha corrida no filme e eu achei isso legal. Acontece que também tinha um monte de outras coisas: salto com uma vara, uns pulos estranhos, corrida com uns negócios de madeira para pular por cima, umas pessoas jogando uns pesos. Pensei que, se eu tivesse de fazer tudo aquilo, não ia dar certo.

O Kauã não parava de falar, e eu não parava de pensar. Então nem sei o que tanto ele falou. Só lembro que era sobre ficar famoso.

Desde pequeno o Kauã fala que nós dois vamos ser famosos. Primeiro a gente ia ser super-herói. Depois, quando entramos na escola, ele decidiu que a gente ia virar uma dupla sertaneja, mas nem eu, nem ele sabemos cantar ou tocar viola. Aí, no ano passado, ele decidiu que vamos fazer filme de ação, daqueles cheios de explosões, carros bonitos e muita luta. Vai ver que ele mudou os planos hoje, mas não prestei atenção, então, não sei...

Chegou minha vez de ser atendido e eu não tinha ideia do que estava fazendo ali.

Um moço perguntou meu nome, minha idade, meu endereço, o nome do meu pai e da minha mãe, em que ano estava na escola, onde estudava... Tudo isso eu respondi fácil. Aí, ele fez uma pergunta difícil:

– Em qual de nossas práticas esportivas você está interessado, Cristian?

– Não sei.

Falei a verdade, ué! E o moço ficou lá me olhando, meio com cara de risada... Ele tentou de novo:

– O que você gosta de fazer?

– Assim... Eu não gosto é de jogar bola, entende?

– Finalmente um! A maioria que passou por aqui hoje só estava interessada em bola. É legal, mas não é nossa proposta. O que eu falei pra todo mundo é que, no projeto Esporte para Todos, vocês terão a oportunidade de conhecer diferentes modalidades esportivas dentro do atletismo e descobrir seus talentos para as atividades que viram no filme: correr, saltar, arremessar pesos... Boa parte desistiu, mas vários querem experimentar. E você? Quer tentar?

– Hãn-hãn – ele tinha falado "correr", não tinha?
– Ajudaria saber algo de que você gosta, só pra começar.
– Assim... O que eu gosto mesmo é de correr.
– Legal! Você vai começar correndo, então.
– Posso fazer uma pergunta? – eu estava curioso.
– Claro!
– Esse projeto é pra virar corredor, igual aos da TV? Igual a esses das Olimpíadas que vocês mostraram no filme?

O moço riu e me explicou que o projeto é para a gente conhecer o atletismo, para não passarmos as férias sentados em frente à televisão e, quem sabe, continuar praticando um esporte o ano inteiro. Falou que eles não vão formar atletas profissionais, mas vão ajudar a gente a ser mais saudável. Desanimei um pouco. Aí ele também disse que o atletismo é, sim, o esporte dos corredores profissionais, de quem faz salto com vara e um monte de outras coisas que eu nem faço ideia do que seja, mas que vou descobrir!

Saí de lá com uma ficha de inscrição e uma autorização para meus pais assinarem. Tudo vai começar na próxima semana. Está marcado aqui na minha ficha que eu preciso estar lá no Parque da Pinguela segunda-feira, às nove da manhã.

O Kauã também! Ele escolheu corrida que nem eu.

Estou muito feliz!!!

Feliz e meio preocupado. É que preciso pedir para minha mãe assinar a autorização. Mas ela não vai assinar sem falar com meu pai... E seu Zé vai brigar, né?

E se eu for pedir direto para ele, vai ter briga também...

O Kauã falou para eu falsificar a assinatura deles. Eu disse que ele só dá ideia furada, não disse? Como vou explicar as saídas para os treinos? E se o pessoal do projeto descobrir? Não vou falsificar nada.

Vou é conversar com minha mãe, assim que ela chegar do trabalho. Tomara que dê tudo certo.

ENCRENCA — 14 de dezembro, sexta-feira

Ontem eu não consegui falar com minha mãe. Ela trabalha de faxineira toda terça e quinta. Meu pai não gosta disso, mas o que minha mãe ganha ajuda muito aqui em casa, então ele reclama só de vez em quando.

Sabe, eu estava pensando: meu pai não quer ver as gêmeas jogando futebol, não gosta que minha mãe trabalhe fora... Acho que ele é machista. É assim que fala, não é?

Eu, quando crescer, não vou ser igual a ele, não. Se minha mulher quiser trabalhar, eu vou gostar!

Se minha mãe não trabalhasse, a gente não ia ter nem dinheiro para comprar o material e o uniforme da

escola direito! Até o ano passado, só meu pai trabalhava. Quando nosso pé crescia, precisava usar o tênis apertado um tempão até ele ter dinheiro para comprar outro. E ele sempre comprava tênis maior, para durar mais.

Desde que minha mãe começou a trabalhar, eu não usei mais sapato apertado. Grande ela compra também, para durar mais, mas não deixa ficar apertado, não.

Por falar nisso, estou enrascado.

Assim: ontem eu não conversei com meus pais sobre o projeto de esportes. Os dois chegaram juntos do trabalho. Deixei para falar com minha mãe sozinha, hoje cedo...

Mas eu acordei e ela estava de saída. Ia fazer uma faxina extra na casa da dona Soraia, uma professora da escola, que está doente. Meus irmãos menores iam ficar na casa da minha avó, no quarteirão de cima. Como sempre, preferi ficar sozinho, longe das pragas dos meus irmãos.

Não deu tempo de conversar com minha mãe. E eu não ia aguentar passar o dia em casa, esperando ela voltar.

Então, fui atrás do Kauã.

Nós dois decidimos ir lá no Riacho Grande tomar um banho porque estava uma manhã muito quente.

Acontece que os meninos do 6º ano também estavam lá, e eles disseram que a gente estava devendo um banho no rio desde aquela corrida do mês passado. Eu e o Kauã fomos lá por isso mesmo, para tomar banho, não foi? Então nem me apavorei.

Mas os pestes jogaram a gente na água de roupa e tudo...

Eu estava de tênis, porque fiz um corte no pé num caco de vidro. Então, não estava dando para andar descalço porque doía. Foi por causa desse corte que eu escorreguei quando ia subir na árvore ontem e derrubei você na lama, Desaba. Ainda bem que só sujou aquelas páginas.

Acontece que minha mãe comprou o tênis para mim no meu aniversário. Está bem novo... Quer dizer, estava bem novo. Agora nem tênis tenho mais!

Foi assim: eu só percebi que estava sem tênis no pé direito na hora em que saí da água, encharcado, pisei numa pedra e o corte doeu.

Os grandões riam de se acabar. E o Kauã:

– Cadê seu tênis, Cris?

– A correnteza levou, eu acho... Eu e ele até mergulhamos de novo, tentamos achar o tênis, mas nem sinal...

Se nem o Kauã deu uma ideia porcaria para resolver a situação, é porque a encrenca era séria mesmo. Ele conhece bem a realidade aqui de casa, que nem é muito diferente da família dele...

Voltei para casa mancando, com o pé machucado. Até tentei colocar o tênis esquerdo no pé direito, mas não deu certo, não. Fui carregando o tênis na mão, os pés no chão, com dor no corte, pensando no que ia dizer para os meus pais. O corte do meu pé abriu de novo e começou a sangrar.

Que dia horrível!!!

E piorou!

Cheguei em casa e quem estava na cozinha? Meus três irmãos e minha avó, fazendo almoço.

Às vezes minha vó faz isso. Ela diz que é para ajudar minha mãe, assim ela já tem janta no final do dia, quando volta cansada do serviço.

Eu acho que é porque o Cleiton, a Camila e a Cláudia fazem tanta bagunça na casa dela que minha avó não aguenta e traz os pestinhas para zonear aqui em casa.

Mas, voltando ao assunto, abri a porta e dei de cara com a família:

– Que aconteceu, Cris?

– Você tá todo encharcado!

– Cadê seu tênis?

Não sei quem perguntou o quê. Não sei quantas perguntas foram. O que sei é que quando a Camila falou do tênis foi um silêncio!

Minha avó nem esperou resposta. Já foi dando bronca, dizendo que eu era endiabrado, que não dava valor ao que

meus pais conseguiam com tanto esforço, que eu merecia andar descalço para aprender...

A dona Mariinha é conhecida na cidade toda por seu jeito explosivo e briguento, já estou acostumado com ela.

Normalmente, não ligo para as broncas que ela dá porque o nervoso dela passa logo. Acontece que hoje eu já estava desesperado, com dor, com medo... Comecei a chorar e nem liguei para o Cleiton fazendo coro de "mulherzinha".

As gêmeas vieram perto de mim e tentaram me consolar do jeito delas, fazendo carinho e falando "chora não, vai passar" e soprando sei lá o que, como se tivesse um machucado na minha cara, igual minha mãe fala para elas quando se machucam.

Minha avó viu o chão manchado de sangue, por onde eu tinha pisado na cozinha, e aí mudou totalmente:

– Que te fizeram, meu neto? Senta aqui, deixa eu ver seu pé, conta o que aconteceu.

Ela mandou o Cleiton fazer água com açúcar para me acalmar. E foi limpando e cuidando do meu pé enquanto eu ainda chorava.

Aos poucos, consegui contar tudo o que tinha acontecido... Até falei do medo que eu estava de levar bronca dos meus pais.

Minha vó é durona. Ela achou legal eu fazer esporte durante as férias, mas não deu trégua sobre o tênis perdido. Fez um interrogatório. No início fiquei com medo de contar que a encrenca toda era por causa da corrida que eu ganhei, mas ela cutucou até eu falar tudo e, quando terminei de explicar, ela disse:

– Tô entendendo... Vocês se encontraram hoje e aconteceu a vingança...

– Foi, vó! Mas não tive culpa...

– Não é isso o que seu pai vai pensar, Cristian. Ele vai dizer que, se você não tivesse apostado corrida, nada disso teria acontecido.

Eu sabia que seu Zé ia reagir assim, mas queria que alguém ficasse do meu lado. Troquei de roupa, almocei e vim para o meu quarto escrever. Meus irmãos foram dar uma volta com minha avó. Eu prometi ficar em casa e aqui estou, sem saber no que isso tudo vai dar, mas achando que não vai ser em nada bom...

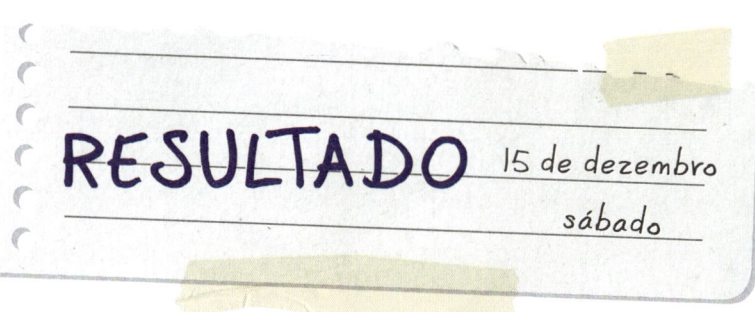

Minha avó ficou aqui em casa ontem até os meus pais chegarem. Ela pediu para eu esperar no quarto e só sair daqui quando ela chamasse.

Primeiro, minha mãe chegou e eu ouvi as duas conversando. Depois, foi a vez do meu pai. Eu não escrevi aqui antes, mas a dona Mariinha é mãe do meu pai, então, com minha avó, ele não começa a gritar ou a chiar igual panela de pressão. Até chia, mas baixinho.

Eu ouvi meu pai falando um pouco mais alto, mas foi bem menos do que se eu tivesse contado a história toda.

Foi então que minha avó mandou o Cleiton me chamar. Meu irmão chegou no quarto fazendo corinho de "se ferrou, se ferrou!".

Para que servem os irmãos caçulas??? Só para provocar e acabar com nossa paciência? Claro que ouvi meu pai falando que perdi o tênis por culpa da minha mania de corrida. Fiquei quieto.

Mas o impressionante é que ele me mandou pegar a "tal autorização" para fazer esportes. Eu achei que ele ia rasgar, mas meu pai assinou. E vendo minha cara de "não entendi", explicou:

— Sua avó falou que lá você vai conhecer diferentes esportes. É isso mesmo?

— É... — respondi, olhando para minha avó.

— Quem sabe você descobre alguma coisa melhor do que ficar correndo por aí? Quem sabe você não descobre que quer ser jogador de futebol?

Precisei fazer uma força imensa para não responder "NÃO VAI TER FUTEBOL LÁ E EU **NÃO GOSTO** DE JOGAR BOLAAAA!!!".

Olhava para meu pai e tentava pensar que eu havia conseguido, que segunda-feira ia correr e conhecer mais sobre atletismo... e que não tinha importância ele ficar tagarelando sobre futebol. Mas seu Zé ainda me deu um castigo:

— Acontece que eu não quero que você pense que ter perdido o tênis novinho vai ficar por isso mesmo. Nem eu, nem tua mãe vamos comprar outro pra você. Ouviu, Tilde? – ele falou com minha mãe. – Tá proibida de comprar outro par de tênis pra esse moleque. Ele precisa aprender a dar valor às coisas...

– Mas como vou fazer pra treinar na segunda-feira? – eu perguntei.

– Vai de chinelo, ou vai descalço – respondeu meu pai. – Isso não é um problema. Tá cheio de craque que começou jogando descalço em chão de terra... Não é o tênis que vai fazer você virar um craque, Cristian.

Essa mania de futebol!!! Se ele gosta tanto assim, porque não tentou ser jogador ele mesmo? Fiz mais uma pergunta, mas é claro que não foi essa:

– E nunca mais vou ter um tênis?

– Vai, sim, senhor. Quando você comprar.

– Mas com que dinheiro, pai?

– Você tá de férias, não tá? Esse seu treino vai ser de segunda, quarta e sexta... Tá escrito aqui no papel que eu assinei. Terça e quinta você vai me ajudar na obra. Sábado e domingo pode vadiar.

– Ele é muito pequeno, homem de Deus! – minha mãe tentou me defender.

– É pequeno, mas já dá pra aprender a fazer umas coisinhas. E até o fim das férias vai ganhar dinheiro com o suor dele, eu completo o que faltar pra comprar outro par de tênis. Aí duvido que vai perder assim por bobeira o que conquistou com o suor do rosto!

Eu comecei a chorar de novo... Não queria trabalhar de pedreiro. E queria ter um tênis para ir ao treino na segunda-feira, mas eu não conseguia falar nada disso.

– E chora por que, posso saber? – meu pai perguntou.

Não consegui responder. Meu pai me mandou para o quarto e eu fiquei aqui, triste pra caramba, até cair no sono. Nem vi meus irmãos vindo para cama. Acordei só agorinha.

Está começando a clarear. Meus irmãos estão aqui, dormindo. Minha mãe está fazendo café na cozinha, dá para sentir o cheiro. Meu pai eu não sei onde está... Bom, pelo menos consegui a autorização assinada, não é?

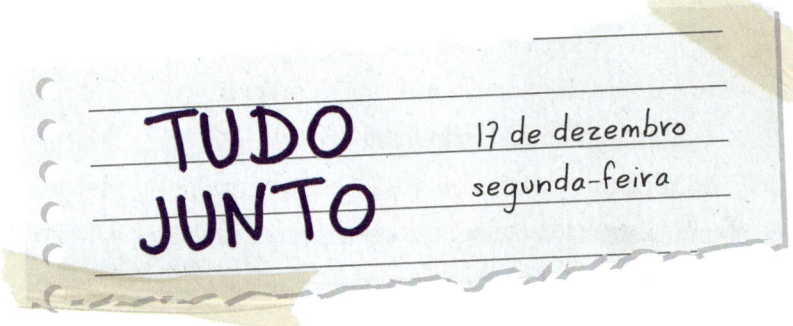

TUDO JUNTO

17 de dezembro
segunda-feira

Hoje o dia foi tão cheio que nem sei por onde começar a escrever.

Vou tentar contar tudo na ordem em que aconteceu. Sabe que estou gostando de escrever um diário? Quer dizer, um desabafandário... É bom organizar as ideias assim. É quase igual a ter um melhor amigo, mas um amigo especial que escuta tudinho sem dar palpite furado! Muito bom isso!!!

Se fosse o Kauã, ia ouvir metade da história e transformar a outra metade em algo maluco e cheio de faz de conta.

Então: hoje acordei cedinho, sem minha mãe chamar. Levantei e encontrei ela na cozinha começando a fazer nosso café. Quando ela me viu, falou assim:

– Acordou, querido? Hoje vou caprichar no café da manhã do meu atleta.

Eu sorri, mas ainda estava triste. Desde a discussão de sábado tudo estava esquisito aqui em casa.

– Cristian, seu pé está quase bom. É isso que importa, filho! Sem dor você vai correr mais rápido que um tigre!

– É guepardo, mãe...

– Gue o quê? – ela perguntou distraída, olhando o leite no fogo.

– O animal que corre mais que todos não é o tigre, mãe, é o guepardo.

– Mas você é um tigre! Forte, lindo... e não tem guepardo mais rápido que você, não!

Guepardo, não tigre!!!

Eu ri e ela me fez um cafuné:

– Eu sei que você queria ir pra esse curso usando tênis, mas agora estou sem dinheiro. E sobre ir trabalhar com seu pai, não esquente a cabeça! Logo ele esquece isso...

– Será, mãe?

– Filho, o que seu pai quer é que você estude. Ele não

quer ver você trabalhando em obra, não. Mas se relaxar nos estudos, aí sim. Aí ele pode falar sério.

– O que o pai quer é que eu vire jogador de futebol – resmunguei desanimado.

– Isso ele quer mesmo. Mas qual pai não quer? Cris, é só andar na linha que ele não vai levar você pra obra. Ele sabe que você é pequeno ainda. Agora tome seu café que já, já a casa toda tá de pé!

E foi como mágica. Ela acabou de dizer isso e meu pai entrou na cozinha falando que estava atrasado para o serviço, que tinha muito o que fazer. E ouvindo a voz dele, não deu nem um minuto para as gêmeas aparecerem. Antes que ele falasse alguma coisa, já fui acordar meu irmão. O Cleiton não gosta de acordar cedo. Reclama que está de férias, mas quando meu pai está em casa, sempre quer a família reunida nas refeições. Então, eu já estou craque em arrancar meu irmão da cama.

Depois do café, meu pai foi para o trabalho, minhas irmãs foram brincar, minha mãe foi cuidar da casa, meu irmão voltou para a cama e eu saí animado para o projeto de esportes. Estava feliz da vida!

Passei na casa do Kauã, que já me esperava no portão. Ele foi tagarelando o caminho inteirinho. Decidiu que vamos ser atletas. E nós dois vamos ganhar prêmios no mundo todo. Sabe que dessa maluquice eu gostei? Pela primeira vez eu quero que uma das pirações do Kauã vire realidade...

Nem eram oito e meia quando chegamos lá no Parque da Pinguela.

E olha que já tinha gente lá! Acho que o pessoal todo não via a hora de começar.

Os instrutores do projeto chegaram. Recolheram as autorizações e dividiram a turma em três grandes grupos: corrida, salto e arremesso. Disseram que vamos ter a oportunidade de experimentar de tudo, mas que a divisão vai ajudar a começar o trabalho com grupos menores.

A Thaís, uma menina da nossa classe, também estava lá, no mesmo grupo que a gente. O Kauã apostou que ela é gordinha demais para correr e que não ia aguentar nem começar. Meu amigo vive chamando a Thaís de baleia, e aí ela bate nele. Parece que ele gosta de provocar só para apanhar... mas a Thaís fica brava de verdade.

O Lucas e a Michele são os treinadores que ficaram responsáveis pela nossa turma. Levaram todo mundo para o campo de futebol, que é de um terrão vermelho!!! Sorte que não choveu, porque se tivesse chovido ia ser campo de um *barrão* vermelho...

Eu estava muito preocupado por estar de chinelo de dedo. Tinha medo de não poder treinar, mas ninguém falou nada. E tinha mais gente lá igual a mim, de chinelo.

Eles deram um monte de atividade e, na primeira parte, todo mundo precisava ficar descalço.

Disseram que tinham que ver como estava nossa saúde e se estávamos prontos para os exercícios.

Primeiro, eles mediram nosso peso e nossa altura. Depois, cada um sentou no chão, assim, de perna esticada. Aí precisava tentar alcançar a ponta do pé, sem dobrar o joelho. A Michele disse que era para ver como estava nosso alongamento e todo mundo riu, não sei por quê...

Quem mais conseguiu se esticar foi a Thaís, a menina da minha classe. O Kauã fez cara de quem não gostou.

Depois a turma toda fez um monte de abdominal. Nunca tinha feito isso. Deu a maior dor aqui na minha barriga.

Foi aí que ficou legal. O Lucas, nosso treinador, fez umas marcas no terrão, quer dizer, no campo de futebol. Cada um de nós tinha que pular com os dois pés juntos. Eles disseram que quem tinha tênis podia colocar, mas quem não tinha podia fazer descalço. Um monte de gente ficou descalça.

Então, começaram os pulos. Quer dizer, SAL-TOS! Teve quem caiu de bunda na terra. Teve quem desequilibrou, mas não caiu. E uns que fizeram certinho. Eu fiz certinho, mas meu pulo foi igual ao da maioria, bem perto do primeiro risco no chão. Agora, o Kauã... Ele passou do segundo risco! Todo mundo bateu palma.

Sempre zoei que ele tinha cara de sapo. Depois dessa, há! há! há!... Maior sapão pulador de brejo!!! Mas sem zoeira, foi legal. Eu bati mais palma que todo mundo.

Aí a gente deu uma descansada. Cada um ganhou uma maçã de lanche. A Thaís tinha levado um pacote de bolacha e veio oferecer para nós dois. O Kauã respondeu que não porque não queria ficar gordo que nem ela. Eu aceitei, e a Thaís ficou ali perto da gente, quieta.

O Kauã ficou de olho na minha bolacha, mas não dei para ele, não. Aí, ele não aguentou e foi falar com a Thaís:

– Dá uma bolacha?

– Ué... Não era bolacha de gordo? – ela respondeu. – Agora você quer?

– Desculpa aí... Vai dar a bolacha ou vai regular?

– Toma!

Ela deu duas bolachas para ele. O Kauã é meu amigo, mas se eu fosse a Thaís não dava bolacha nenhuma. Ele é muito chato com ela!

Depois de comer, começou a avaliação de novo.

Colocaram a turma inteira sentada, com as costas na mureta que separa o campo da arquibancada. As pernas esticadas de novo. Aí, deram uma bola pesadona na nossa mão e a gente tinha que jogar lá longe. Difícil, mas nessa ninguém caiu, todo mundo fez direito.

Aí veio a hora que eu mais gostei: corrida! Primeiro corremos contornando uns cones. Na hora em que eu fui, o Kauã puxou um corinho de "Vai, Cris! Vai, Cris!". A turma se empolgou e eu me empolguei junto. Depois, precisava correr uma distância pequena em linha reta. Corri que nem um guepardo!!! A Michele, nossa treinadora, fez assim "UAU!!!" e passou a mão na minha cabeça!!!!!!

A Michele é linda! Pena que é bem mais velha que eu...

Mas ela passou a mão na minha cabeça! Foi muito bom!!!

E acabou por hoje. Fomos liberados. Na quarta-feira tem mais treino. Não vejo a hora!

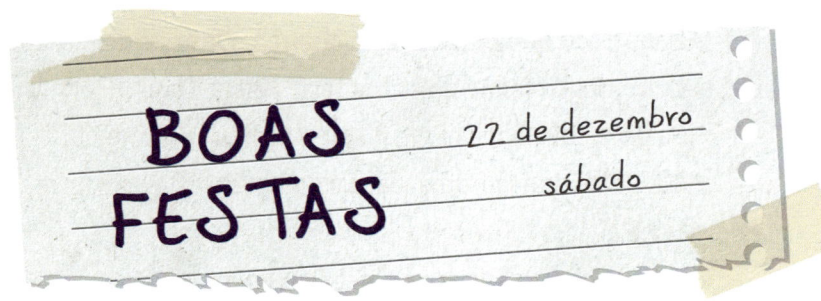

BOAS FESTAS
22 de dezembro
sábado

Agora que eu estava gostando dos treinos... parou tudo. Só volta depois da virada de ano, só no dia 7 de janeiro!!! Não sei se vou aguentar esperar.

Os dois treinos desta semana foram tão legais! Sempre começa com um bate-papo, que explica um pouco sobre o atletismo. Depois, vem um tipo de brincadeira, para esquentar o corpo, e aí a gente corre!!!

E quando eu corro, a Michele, nossa treinadora, faz "UAU!!!". Todo dia é assim.

Quando eu crescer, vou casar com a Michele, eu acho... Isso se ela não estiver bem velhinha, igual meus pais, ou igual minha avó...

Bem, até agora aprendi que o atletismo é baseado em movimentos que fazemos no dia a dia: correr, saltar, arremessar... E que as competições de atletismo são as mais antigas do mundo. Foi por causa das competições de atletismo que as Olimpíadas começaram! Achei demais! Esse esporte é muito importante.

O Lucas está ensinando a correr. Eu nem sabia que precisava aprender isso, que tinha um jeito certo.

Ele mostrou que quando uma perna está na frente, é o braço do outro lado que deve estar na frente. Assim: joelho direito com cotovelo esquerdo e joelho esquerdo com cotovelo direito. Eu nunca tinha parado para pensar nisso. Nem sei se já corria assim, mas agora corro!

Também tem a posição certa do corpo para correr mais rápido: meio inclinado para a frente.

É... não é tão simples assim... não é sair correndo e pronto: virou um corredor! Não é, não.

Em janeiro vamos aprender a saltar e a jogar pesos: ar--re-mes-sar... é assim que fala.

Ah! Minha mãe conseguiu conversar com meu pai e eu não virei servente de pedreiro. Pelo menos, não até o Ano-Novo... Ele deixou a ideia para depois das festas.

Eu devia ficar feliz com isso. Acontece que meu pai não está falando comigo. Ele conversou com o pai do Kauã e descobriu que não tem futebol lá no projeto. Aí já viu, né?

E eu continuo sem tênis... Estou correndo descalço e tem mais gente lá assim, igual a mim, que vai de chinelo ou já vai sem sapato nenhum... Então, nem ligo

joelho esquerdo com cotovelo direito

joelho direito com cotovelo esquerdo

tanto. Mas eu queria conseguir resolver isso sozinho. Quem sabe desse jeito meu pai ia ter orgulho de mim.

Agora vou fazer os cartões de Natal para minha família. Vou desenhar um a um. Então, não dá para ficar muito tempo escrevendo. FELIZ NATAL, DESABA! HO! HO! HO!

ANO-NOVO
6 de janeiro
domingo

O final do ano foi meio chato... Com toda a encrenca com o meu pai, as "férias" dos treinos... Estava tudo meio parado.

Eu gosto das festas de fim de ano, mas dessa vez queria que passassem logo.

A única coisa boa que fiz nesses dias foi brincar! Tem chovido forte no final da tarde. Depois da chuva, eu, o Kauã e mais uma turma vamos lá para a ladeira do escorrega. É um morrão de terra que já escorrega quando está tudo seco. Com chuva, então, vira um sabão! Todo mundo tem a bermuda de escorregar, que já tem a cor da terra de tão encardida. E é uma delícia escorregar lá! Cada dia um inventa um jeito diferente de melhorar a brincadeira: escorregar sentado em cima de uma tábua, escorregar com um saco plástico grandão, escorregar em pé na lama até todo mundo cair... Eu fico torcendo para chover e a gente poder ir lá brincar. Depois de cansar de escorregar, todo mundo toma banho no riacho e volta para casa.

Amanhã recomeça o treino de atletismo! VIVAAA! Vai ser bom demais!

Meu pai não falou nada de eu ir com ele para a obra. Será que ele esqueceu?

APARECI

3 de fevereiro
domingo

Desculpe o sumiço, mas não tenho tido muito o que contar nas últimas semanas. Acho que escrevi mais quando estava cheio de problemas.

Agora está tudo bem! Pode ficar tranquilo, Desaba!

Bom, os treinos mudaram bastante e tenho corrido pouco desde janeiro. É que choveu demais o mês inteiro e o Parque da Pinguela também virou um barreiro só! Igual à ladeira do escorrega. Então, não tem lugar para treinar corrida nem salto... Tudo escorrega ou atola! Aí, todo mundo está treinando lançamento de peso. A gente arremessa uma bola de metal, bem pesada. Joga longe. E não é fácil fazer isso, tem o jeito certinho. É divertido, mas eu prefiro correr.

Quem está se dando bem é a Thaís. O Kauã até parou de encher a paciência dela. Quer dizer, parar não parou, mas depois que viu como ela é forte, acho que ficou com medo de apanhar e diminuiu as brincadeiras.

O pessoal do projeto dá um monte de exercício físico também. Mas fica mais difícil quando não dá nem para sentar ou deitar no chão enlameado, não é?

Então, eles dão umas brincadeiras diferentes e, quando acaba, está todo mundo cansado demais!

A Michele avisou que, em fevereiro, o projeto continua e vamos poder usar a quadra de uma escola lá perto do parque. Vamos voltar a correr e começar a saltar! BOM!

Acontece que eu não tinha pensado nisso: quando as aulas voltarem, depois do Carnaval, não vou poder continuar no projeto porque eu estudo de manhã...

Será que meus pais vão deixar eu mudar para a turma da tarde na escola? Não tenho nem coragem de pedir...

Meu pai já está conversando comigo e nunca mais falou de eu trabalhar na obra com ele. Tenho medo de pedir para mudar de horário na escola e a briga começar de novo... O negócio é esperar para ver no que vai dar.

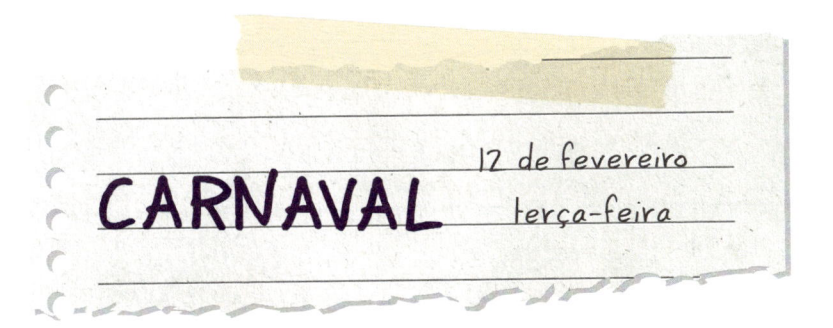

CARNAVAL — 17 de fevereiro, terça-feira

Amanhã tem treino e eu vou feliz da vida!

É que na semana passada a gente começou a treinar na quadra lá da escola perto do Parque da Pinguela. E voltamos a correr. E mais: começamos a aprender corrida de revezamento. Sabe o que é isso, Desaba?

É uma corrida com quatro atletas. Cada um corre um tanto e precisa passar um bastão para o próximo, que corre outro tanto e passa o bastão para o seguinte até chegar no último corredor, que corre o último trecho. É muito divertido! Não pode deixar o bastão cair, e se alguém derruba o bastão, vira uma farra!

Eu estou feliz porque o Lucas, meu treinador, avisou que, a partir da próxima semana, vai ter treino de manhã e à tarde. Então, eu vou para a escola de manhã e vou treinar à tarde! Vai dar tudo certo!!!

Agora vou lá na pracinha porque tem folia e a gente vai pular mais um pouco. Estou pulando Carnaval desde sexta-feira! Gostoso demais!

As gêmeas vão vestidas de fadinhas e demoram um tempão para se arrumar. Então, enquanto espero, resolvi escrever um pouquinho.

Ah, elas vieram me chamar... Lá vou eu!

MESÁRIO

25 de março
segunda-feira

Será que se eu escrever uma vez por mês posso chamar você de mesário, Desaba? Você virou um desabafansário... Ih... Pior do que desabafandário! Vou deixar Desaba mesmo que está bom demais.

Eu até senti vontade de escrever, mas vida de atleta é muito corrida! Não estou metido, não...

É que decidi que vou ser atleta quando crescer. Antes já queria ser corredor, mas agora eu SEI que vou ser igual aos corredores que vejo na televisão. Vou ganhar um monte de medalha, vou para as Olimpíadas e vou conhecer o mundo inteiro! Eu e o Kauã, claro! Vamos fazer isso juntos!

Desde o mês passado, quando as aulas voltaram, meu pai vem fazendo a maior marcação. Ele fala quase todos os dias que, se meu rendimento na escola cair, eu saio dos treinos. E se nem assim eu for bem nos estudos, saio da escola e vou trabalhar com ele na obra.

Minha mãe fala para eu não responder. Aí eu fico quieto e não tem briga. Mas eu fico triste...

Minha mãe sempre diz que meu pai só quer que eu estude. Por que ele não diz isso sem brigar? Por que precisa sempre ficar ameaçando?

Acontece que eu procurei você para escrever sobre algo realmente bom, não foi para escrever sobre coisa ruim, nem chata, nem pai...

Ganhei um par de tênis novinho!!!

O projeto conseguiu apoio da prefeitura. Aí, todo mundo ganhou uniforme e tênis novo! É que mês que vem é aniversário da cidade, e o projeto propôs uma parceria com a prefeitura para fazer um dia do esporte. Aí o prefeito decidiu organizar um festival de esportes e todo mundo pode participar. Adulto, criança, todo mundo mesmo. Meu avô falou que vai correr, mas só se a corrida for lá na estrada do Riacho Grande... Para mim ele está de gozação.

A Michele contou que nós vamos participar. E, por falar na Michele, eu acho que não vou mais casar com ela. Acontece que ela está namorando o Lucas... Toda hora eles dão beijinho. Que nojo!

Mas, voltando ao assunto, o Kauã perguntou se vamos poder participar da corrida, porque a gente aprendeu que só pode começar a competir com 12 anos.

A Michele explicou que essa é a regra para as competições oficiais. Mas para um desafio como esse, da prefeitura, não tem idade, não.

Vai ser minha primeira competição de verdade! O Lucas disse que vai ter até medalha... Será que eu vou ganhar uma medalha?

Bom, hoje eu já treinei de tênis no pé, mas achei difícil.

Estava acostumado a correr descalço. O Kauã disse que eu vou me adaptar logo. E a Thaís também falou que o tênis vai até me ajudar a correr mais rápido. Será?

Por falar no Kauã, ele está se dando muito bem no salto em distância, acho que ele vai competir nessa categoria e na corrida também... Eu só vou correr. Estou tão agitado que está difícil ficar aqui escrevendo. Acho que vou lá fora correr um pouco para acalmar. Fui!

É AMANHÃ 26 de abril
sexta-feira

Nossa, Desaba, o tempo passou voando! Amanhã é o dia da festa de aniversário de Canoa Fria e, também, do primeiro festival de esportes da cidade. Vai ter aula aberta de um monte de coisa, além de campeonato de corrida e de salto em distância e de futebol, é claro... Vai ter arremesso de peso, também, mas só para os adultos. Acho que nem vou conseguir dormir direito. Fiquei até agora lendo o que já escrevi aqui, foi legal me lembrar disso tudo. Ah, já acostumei com meu tênis! Mas não corro sempre com eles, para ficarem novos por mais tempo. O Kauã anda meio chato porque a Thaís começou a ir com a gente para os treinos. Ela passa na minha casa para me chamar e vamos encontrar o Kauã. Ele não gosta porque não dá para conversar sobre tudo na frente dela, porque ela é menina. A Thaís só conversa comigo e diz o tempo todo que o Kauã é bobo demais, muito criança. É que ele fica puxando o cabelo dela, jogando pedrinha, provocando, sabe? Eu acho que o Kauã gosta da Thaís, por isso vive querendo chamar a atenção dela.

Outra coisa: meu pai achou ruim de a gente ter ganhado uniforme e tênis lá no projeto. Disse que a prefeitura devia investir em educação e saúde e não ficar distribuindo esses luxos todos. Reclamou que os pais precisam comprar o uniforme da escola, que ninguém valoriza a educação... Ficou falando um tempão!

Minha mãe gostou do meu uniforme de corrida. E vive dizendo que eu fico lindo vestido de atleta... Essa dona Tilde é minha maior fã! Quando eu for viajar o mundo todo para participar das corridas, vou levar minha mãe comigo e com o Kauã.

Como eu treino dia sim, dia não, ela é quem lava meu uniforme, limpa meu tênis, deixa tudo cheiroso para mim.

Supermãe!

Ai, está dando um sooonooo.

Desaba, amanhã eu conto como foi a corrida. Vou escrever tudinho! Torce por mim!

NOTÍCIAS QUENTES

28 de abril
domingo

Ontem não deu tempo de escrever. Eu fiquei na festa, no centro da cidade, até bem tarde. Minha família toda ficou.

Então: tcham! tcham! tcham! tchaaaaaam!!! GANHEI a corrida de dez a 13 anos! Corri os seiscentos metros num tempo que a Michele disse ser excelente. Não sei qual tempo foi, não. Acho que vou perguntar para ela amanhã, aí coloco aqui para não esquecer...

Ganhei duas medalhas, uma de participação no revezamento e outra de primeiro lugar nos seiscentos metros! Minha primeira medalha de ouro!

Quer dizer, não deve ser de ouro-ouro-de-verdade, mas tem cor de ouro, né?

Minha família toda assistiu à corrida, menos meu pai, que foi ver o jogo de futebol que estava acontecendo no mesmo horário. Eu fiquei triste porque ele não foi me ver correr. Mas tanta gente comemorou comigo!!! Por isso a tristeza não durou muito.

O Kauã ganhou medalha de prata no salto em distância. Perdeu para um menino de 13 anos, que não é do projeto.

Mas perdeu por tão pouquinho: dois centímetros, ele disse.

O Kauã explicou que isso é muito e que o outro menino ganhou "disparado". Falou que nas Olimpíadas as diferenças são menores... Mas essa foi nossa primeira competição e eu acho que o Kauã foi bem e que por pouco não ganhou o ouro.

A Thaís participou das corridas, mas não ganhou. Aí o Kauã foi falar com ela e disse assim:

— Se menina pudesse participar do arremesso de peso, você ganhava disparado!

Viu? Eu acho que ele gosta mesmo da Thaís...

Bom, depois de todas as competições, começou a quermesse na praça. E fomos para lá comemorar. Só meu pai voltou logo para casa. Minha mãe, meus irmãos e meus avós ficaram comigo e com o Kauã e a família dele.

Meu pai fez pouco caso da minha medalha, mas eu não liguei. Quer dizer, eu liguei, mas não falei nada na frente dele. Queria tanto que ele ficasse feliz por mim, igual minha mãe ficou. Mas ele só falou assim:

— Isso tudo é besteira, é ilusão, Cristian. Essa coisa de correr não vai levar você a lugar nenhum. Você precisa é pegar firme nos estudos!

Custava me dar um abraço de parabéns? Até gente que eu nem conheço fez isso. Até a turma do 7º ano, daqueles meninos que me jogaram no riacho no ano passado, veio me dar os parabéns... Poxa vida! Mas minha avó Mariinha disse que eu não tenho o direito de ficar triste porque está tudo dando certo para mim.

Minha medalha é linda. O Cleiton, meu irmão, já pegou a medalha na mão umas dez vezes. Deu até beijo nela. Fica lustrando com a camiseta e diz que é para dar brilho.

Hoje eu vi o Cleiton brincando de correr com os colegas dele ali na rua, em frente de casa. São uns pirralhos, iguais a ele... Todos têm sete ou oito anos. E eu ouvi o Cleiton falando assim:

– Vamos brincar de correr? Eu vou ser o Cristian!

Senti vontade de abraçar meu irmão, mas fiquei aqui, na minha.

As gêmeas fizeram um desenho para mim. Disseram que sou eu com minhas medalhas. Parece mais uma batata com um caroço, mas tudo bem. Sei que fizeram com carinho e ficaram felizes quando eu colei o desenho na parede do quarto, em cima da cabeceira da minha cama.

É, minha avó é que tem razão... Eu preciso é ficar feliz!

XERETA

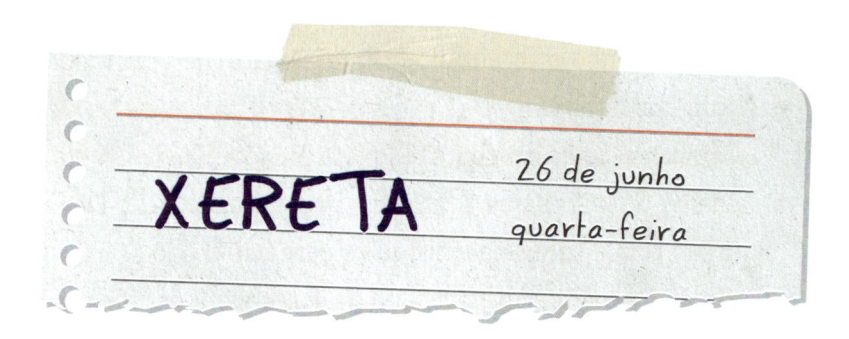

26 de junho
quarta-feira

Cheguei agora do meu treino, vim no quarto pegar roupa limpa para tomar banho e o que eu vejo??? Meu irmão sentado na MINHA cama, lendo você, Desaba!

Como pode isso?

Está certo que eu não escrevo faz tempo. Também é verdade que eu já tinha quase esquecido que deixei você debaixo do meu colchão. Mas nada disso dá o direito de ele xeretar desse jeito!

E foi muito difícil recuperar você, Desaba: o Cleiton não queria devolver de jeito nenhum, ficou pulando na cama, depois saiu correndo para o quintal. Sorte que sou muito mais rápido.

Minha mãe ficou uma arara, querendo saber o que estava acontecendo.

Claro que o peste contou para a família inteira que eu tenho um diário e continua contando. Minha avó passou por aqui, para trazer banana que ela apanhou no quintal, e o Cleiton nem deixou ela conversar com minha mãe, ficou falando que eu tenho "um diário secreto de menininha, onde escrevo coisas sobre a família inteira!". Imagina se ele fala um negócio desse para o meu pai?

Vai ser uma encrenca.

Minha avó deu uma bronca no Cleiton. Disse que se eu escrevo e não mostro, então é coisa minha e ele não deve xeretar porque é falta de educação.

Mas, depois, ela veio aqui no quarto perguntar se eu escrevi sobre ela no diário e o que escrevi. Pode?

Vou precisar arrumar outro esconderijo para você, Desaba. Isso é urgente!

E já que estou escrevendo, vou atualizar você sobre o que anda acontecendo comigo.

Desde abril, depois da corrida que eu ganhei, o treino ficou mais forte. E tudo ficou mais difícil porque começou a época de provas na escola. Treinar e estudar... só faço isso.

O treino mudou porque o Lucas e a Michele tiveram uma conversa séria com a turma. Eles viram que o pessoal do projeto se deu muito bem nas competições do aniversário de Canoa Fria. Então, perguntaram se a gente queria participar de um grande campeonato de atletismo, que vai acontecer na capital em outubro. É claro que todo mundo quer. Já fizemos até nossa inscrição!

Eu vou participar na categoria Pré-Mirim Sub 12. Chique, né? Tem um monte de divisão e, dependendo da idade, cada um cai numa categoria diferente.

Quero treinar muito! Mas o difícil é dar conta da escola e dos treinos...

Uma coisa que eu não escrevi ainda, Desaba, é que desde que as aulas começaram, muita gente não apareceu mais.

Agora nem tem mais os treinos separados em três grupos como no começo. Só tem o pessoal da manhã, que treina com a Letícia e o Thiago, e o pessoal da tarde, com a Michele e o Lucas.

A Michele diz que isso é normal, porque as pessoas começam por diversão e acabam não gostando ou arrumam outra coisa para fazer. O Lucas contou que em julho eles vão organizar outro evento na praça, para atrair mais gente que queira participar e que vamos ter colegas novos...

Eu nem quero. Acho que está bom assim, porque quem continua gosta mesmo de treinar. Igual a Thaís. Ela não quer ser atleta profissional, mas diz que, aqui no projeto, descobriu que gosta de esporte. Ela era gordinha, eu já contei, não é, Desaba? Bem bochechuda... Agora emagreceu e cresceu um monte. Está bem mais alta que eu e o Kauã, que parou de vez com as brincadeiras com ela.

Tem o Marcelo, também. Ele vai competir este ano, tem 14 anos e vai participar na categoria Mirim. O Marcelo treina muito, chega antes de todo mundo e é o último a ir embora. Ele não falta nem quando está gripado ou com dor de barriga. Eu vou torcer para o Marcelo ganhar uma medalha no campeonato da capital. Ele vai correr os oitocentos metros e é muito rápido. Mais rápido do que eu.

Eu vou correr os sessenta metros e, depois, os seiscentos metros. Duas corridas!!! E o Kauã vai disputar o salto em distância e o lançamento de pelota. Eu não contei, mas ele cansou de correr, disse que prefere saltar e lançar.

O Kauã está diferente, sei lá, mais chato... muito mais chato!

O Marcelo diz que é ciúme porque ando conversando mais com ele nos treinos. O Marcelo treina corrida comigo, então fica mais fácil a gente conversar do que falar com o Kauã, que está treinando separado. Mas eu ainda quero competir no mundo inteiro com o Kauã. Será que ele também quer? Preciso perguntar. Acho que é isso, escrevi sobre tudo...

Tá bom, é mentira. Falta contar uma coisa, Desaba.

A Thaís, sabe? Escrevi da última vez que eu achava que o Kauã gostava dela, lembra? Agora eu acho que ela gosta do Marcelo... Ela treina corrida com a gente e sempre que eu estou conversando com ele, ela tenta entrar na conversa. Menina é um bicho esquisito, não é? Eu acho que não vou querer saber de namorar quando estiver mais velho, não...

Bicho esquisito

Na correria

CANSEIRA

18 de julho
quinta-feira

Oi, Desaba! Como você tem passado escondido no meu armário???

Não deve ser muito confortável, não é?

Mas o roupeiro é o único lugar alto que meu irmão não alcança nem subindo na cadeira... O que importa é que lá você está seguro.

O pessoal do projeto fez mesmo a nova campanha de inscrição no início do mês. Sabe quem entrou nos treinos? Meu irmão! Ele e mais uma porção de pirralhos de oito e nove anos... Eles fazem muita bagunça!

Meu pai quase teve um treco quando meu irmão apareceu com a autorização para ele assinar. E minha mãe defendeu o Cleiton:

– Você deixou o Cris participar do projeto. E olha só! O menino está crescendo, está mais forte, mais disposto... E não largou mão da escola, não.

Faz tempo que não escrevo reclamando do meu pai. É que nós dois paramos de brigar. Outro dia ele disse que, desde que eu entrei no projeto, parei de ficar correndo pelas ruas da cidade, apostando corrida, e que isso já é uma melhora e tanto. Ele também falou que eu melhorei na escola. Isso é verdade. É que se eu não tirar nota boa, não posso mais treinar. Aí fiquei com medo e estudei mais que o normal... E minhas notas subiram. Não tirei nenhum vermelho.

Acho que tudo isso ajudou meu pai a deixar o Cleiton participar dos treinos também.

Sabe, Desaba, eu acho que meu pai presta atenção em mim, sim... Ele só não é de falar das coisas boas, mas parece que está mudando um pouquinho, valorizando mais. Quem sabe?

Ele parou de falar que vou trabalhar como servente dele, parou de reclamar que não jogo bola. Acho que acabou a guerra. Pelo menos por enquanto. Tomara que a paz dure!

E, voltando aos pirralhos: eles treinam separados da gente. Então, não rola estresse.

Estou treinando muito agora nas férias. Eu e todo o pessoal. Quer dizer, quase todo o pessoal. Tem gente que anda faltando porque é férias, parece que não está nem aí com o campeonato em outubro. O Kauã mesmo é um... Foi visitar a avó lá no litoral e só volta no final do mês.

Eu acho que não está certo. Mas, às vezes, só bem de vez em quando, eu penso que se minha avó morasse na praia eu também ia querer passar as férias lá.

A Michele e o Lucas não reclamam da turma faltar. Outro dia o Lucas falou que poucos esportistas no atletismo começaram a treinar assim, novos que nem eu. Que tem esporte que aos 12 anos você já é experiente, participa de campeonatos nacionais e internacionais, igual na ginástica olímpica.

Mas, no atletismo, as competições só começam nessa idade e muita gente mais velha, com 16 ou 18 anos, começa a praticar o esporte.

O Lucas disse que o projeto quer fazer todo mundo se mexer e praticar esporte, e que a competição é algo a mais, mas que não pode virar o objetivo principal.

Pode não ser o objetivo do projeto, mas é o meu! Quero competir para ganhar e virar um atleta profissional!

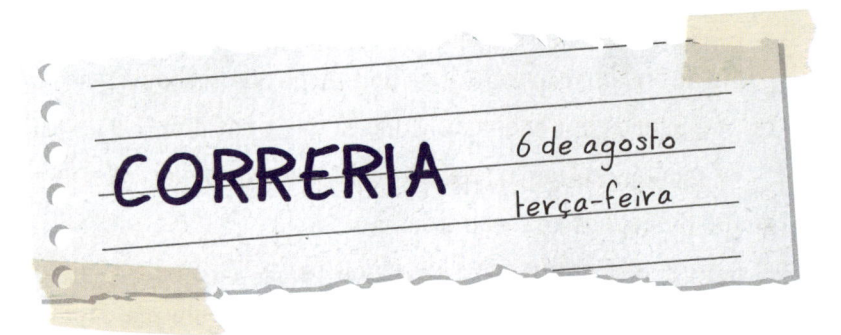

CORRERIA
6 de agosto
terça-feira

As aulas começaram ontem. O Kauã voltou para o treino hoje e eu passei lá na casa dele sem a Thaís. Queria conversar só com meu amigo. Eu perguntei se nós dois ainda vamos viajar o mundo, competindo. Ele riu e disse que é claro que sim! Ai, que bom! O Kauã contou tudo o que aconteceu na praia, é muito legal lá... E ele encontrou um monte de primos. Mesmo com o frio do inverno parece que foi bem divertido. Eu não tinha muito o que contar... Fiquei aqui em Canoa Fria e só fiz treinar e ajudar em casa. É que minha avó ficou doente. Aí, quando minha mãe ia trabalhar, eu tomava conta dos meus irmãos, o que não foi nada fácil. Mas passou!

E ainda contou uns pontos com o meu pai, que até comprou chocolate para mim e para meus irmãos, mas ele disse que era um presente por MINHA ajuda. Eu devia ter comido tudo sozinho, mas dividi...

Minha avó já sarou e tudo voltou ao normal.

As histórias que o Kauã tinha para contar eram mais divertidas do que as gêmeas enfiando feijão no nariz uma da outra, ou meu irmão me provocando. E também teve a Thaís, que veio me ajudar uns dias e foi até legal, porque ela ficava brincando com as gêmeas e eu só precisava me preocupar com o Cleiton... Mas nada disso foi divertido. Por isso, só o Kauã falou e eu ouvi.

E foi bom porque eu estava com saudades dele.

A Michele avisou que pediu um ônibus para a prefeitura para irmos todos juntos para o campeonato na capital! OBA!!! Vai ser demais!

É isso, Desaba. De volta ao ritmo da correria! Não vejo a hora de chegar outubro!

QUASE

23 de setembro
segunda-feira

Desaba, corremos tanto nos últimos dias... E não foi só nos treinos, não. Precisei fazer uma prova de recuperação de ciências. Tirei D. Eu e metade da classe. Aí, o professor resolveu dar outra chance.

Ainda bem! Não quero nem imaginar o que ia acontecer se meu pai visse um vermelho na minha carteirinha. Ele não ia me deixar participar do campeonato!

Mas a Thaís me ajudou. Estudamos juntos a semana passada toda. E eu fiz a prova hoje. Fui bem, tenho certeza.

RETA FINAL

4 de outubro
sexta-feira

Vamos ter treino amanhã e depois. Treino extra. Está chegando a competição!!! Nem acredito, Desaba!!!

O Kauã não para de falar que vamos ganhar tudo nesse campeonato e virar atleta profissional. Que todo mundo vai ficar impressionado com nosso talento... Que não vai ter para mais ninguém... Que essa será a primeira das milhões de viagens que eu e ele vamos fazer. Eu acho meio difícil acontecer tudo isso, mas fico torcendo para ele estar certo. Já pensou? Medalha de ouro nos sessenta metros! Medalha de ouro nos seiscentos metros!!! Tomara! Vai ser demais!!!!!!!

Na correria

E AGORA?

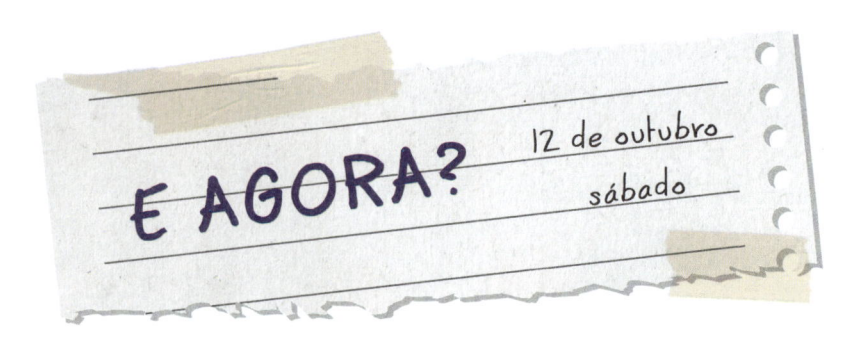

12 de outubro
sábado

Tanto esforço, tantos meses treinando e tudo acontece tão rápido!

Nós saímos de Canoa Fria ontem à noite. Era para dormir no ônibus. Mas quem dormiu? Foi uma farra!

Chegamos à capital hoje bem cedinho e viemos direto para o clube onde vai acontecer a competição.

No caminho, todo mundo ficou meio besta de ver o tamanho da cidade. É tudo muito diferente de Canoa Fria.

Quando chegamos ao clube, a turma toda ficou meio quieta. Nem a Thaís, que é muito tagarela, conseguiu falar... ficou muda! O lugar é enorme! Lindo! Dá um frio na barriga só de estar aqui.

A gente tomou um café da manhã caprichado no refeitório gigante do clube. Depois fomos conhecer onde as competições vão acontecer.

Eu nunca tinha visto uma pista de verdade assim, de perto. Só pela televisão. Achei tão lindo! As raias marcadas em branco no chão... Tão diferente do Parque da Pinguela, com a pista de barro. Eu senti que esse é o meu lugar...

Agora é esperar tudo começar. Estou ansioso. E precisava desabafar. Por isso estou aqui, escrevendo no banheiro.

Tenho de ir encontrar com o pessoal. Vai começar tudo daqui a pouco...

Boa sorte para nós!

JÁ FOI
13 de outubro
domingo

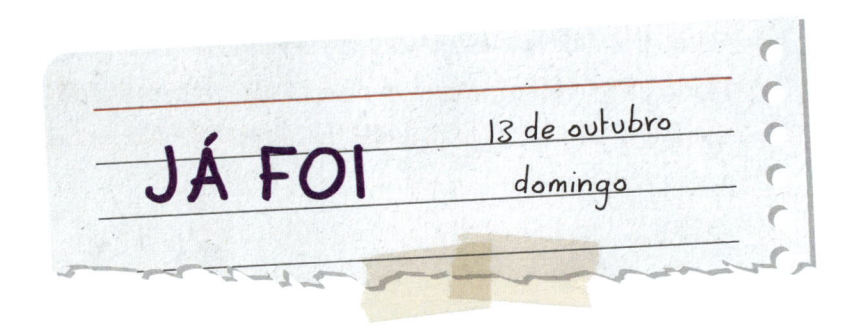

As competições começaram e foi tudo vapt-vupt! Quando percebemos, tinha acabado. Todas as competições aconteceram ontem, das 11 às 15 horas. Eram várias ao mesmo tempo. Eu não consegui nem ver o Kauã saltando... Foi na hora em que o Marcelo estava correndo e eu não pude sair de lá porque a corrida seguinte seria a minha.

O Marcelo é bom, mas nem chegou a pontuar... Todo mundo ali era muito rápido! Fiquei nervoso, mas, mesmo assim, na hora de correr os sessenta metros dei tudo de mim! Acabei em quarto lugar.

Fiquei triste demais por não conseguir uma medalha, mas a Michele disse que meu resultado foi excelente, que eu havia competido pela primeira vez com um pessoal que treinava muito... Mas eu também treinei muito! Poxa vida! Eu achava de verdade que ia ficar entre os três melhores.

E, depois, teve a corrida dos seiscentos metros. Foi pior ainda!!! Cheguei em oitavo lugar.

O Kauã caiu no salto em distância, acredita? Não conseguiu nem fazer um salto tão bom quanto nos treinos.

Ninguém da nossa turma ganhou medalha. NINGUÉM!!!

Aí, na volta, no ônibus, o Lucas falou que nossa ida para a competição foi para aprender, para ter experiência do que é competir para valer e que aprendemos na prática a importância da disciplina. Disse que viajar na véspera da competição não era o melhor, mas foi o que conseguimos, que era para a gente ter descansado no ônibus, ter dormido, mas só fizemos bagunça e pulamos o tempo todo... Viramos a noite acordados, ficamos cansados e isso prejudicou todo mundo. Foi uma bronca sem jeito de bronca, mas que doeu.

Durante a viagem toda ele tentou falar para o pessoal ficar mais quieto, tentar dormir um pouco, mas ninguém ouviu. Eu e o Marcelo até que tentamos dormir, nós dois tentamos de verdade guardar as energias para competir... Acontece que a empolgação da turma era grande e todo mundo caiu na bagunça. Eu também bagunçei.

SNIF! magoei...

Biquinho de tristeza

Depois, a Michele tentou nos animar, falando que para uma primeira vez estava ótimo, que nosso grupo se saiu muito bem, mas todo mundo estava quieto. E voltamos assim: uns dormindo, outros olhando pela janela, poucos falando baixinho, todos tristes.

Saímos de Canoa Fria achando que íamos voltar cheios de medalhas. Voltamos sem nenhuma.

Aqui em casa todo mundo estava ansioso, esperando para ver a medalha que não existia... Foi difícil contar como tudo aconteceu e mais difícil ainda foi ouvir meu pai:

– Que bom! Agora você viu que é uma besteira esse papo de virar corredor. Já estava na hora de perceber que isso era uma bobagem!

Eu não acho uma bobagem, não! O que eu acho é que para virar atleta de verdade vou precisar treinar muito-muito-muito mais!

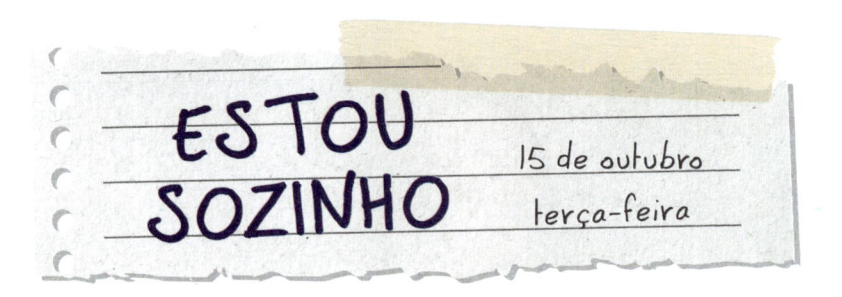

ESTOU SOZINHO

15 de outubro
terça-feira

O Kauã não foi ao treino ontem.

Esta semana não tem aula, por causa do Dia dos Professores e do conselho de sala.

Então, hoje cedo, fui atrás do Kauã na casa dele, para saber se ele estava doente. Não estava, não. Eu perguntei:

– Kauã, por que você faltou no treino?

– Eu não vou mais, Cris – ele respondeu.

– Não vai mais o quê?

– Não vou mais treinar, Cris.

– Por que, Kauã?

– Porque eu percebi que não quero mais!

– Mas a gente não ia ser atleta? Não ia conseguir um monte de medalhas? Não ia viajar o mundo todo juntos?

– Cris, você não viu lá na competição? Não temos a menor chance! Não quero passar a vida toda treinando, não. Faz mais de um mês que não faço outra coisa. Nem dá tempo de empinar uma pipa, tomar um banho no rio... Eu não quero isso, não, Cris.

– Mas... – e eu não disse mais nada porque eu não sabia o que dizer.

Às vezes eu também tenho vontade de fazer outras coisas, mas eu gosto dos treinos, me sinto bem lá. E se eu conseguir ser um atleta de verdade, vou ter uma profissão, vou conhecer o mundo... Acontece que fica diferente sonhar sozinho... Não é tão legal.

O Kauã é meu melhor amigo e quem sabia inventar as premiações, as grandes conquistas era ele.

Sozinho não sei se vou conseguir...

PARABÉNS

11 de novembro
segunda-feira

Hoje é meu aniversário!!!
E foi um dia muito bom.

De manhã, na escola, não foi tão bom assim. Precisei correr para escapar dos ovos com farinha que a turma do fundão, da minha sala, tinha levado. Ainda bem que eu corro muito!

Mas também teve notícia boa: tirei B na prova de ciências e A na prova de língua portuguesa! Presentão de aniversário, hein?

Aí, de tarde, teve treino. A Thaís contou para todo mundo que era meu aniversário e o treino virou uma festa. O pessoal cantou parabéns, a Michele organizou um monte de brincadeiras... Foi divertido.

E, quando eu cheguei em casa, tinha uma festa surpresa! Com bolo, brigadeiro, coxinha e bolinho de queijo! HUMMM!!!

Minha mãe chamou o Kauã e a Thaís, também vieram meus avós e meus irmãos (é claro!). Meu pai chegou no meio da festa porque estava trabalhando.

Eu ganhei um monte de presente: uma camiseta do Kauã,

uma caixa de bombons da Thaís, um desenho das gêmeas, um lápis todo mordido do Cleiton (*que irmão, hein!*), um caderno com cadeado e chave dos meus avós (*a dona Mariinha disse que é para o meu próximo diário. Como ela sabe que suas páginas em branco estão acabando, Desaba? Será que ela andou xeretando também???*) e o maior presente de todos foi o da minha mãe – um par de tênis, novinho, lindo, especial para corrida!!!

Meu pai falou que é um desperdício de dinheiro, mas dessa vez nem liguei. De verdade! Meu tênis é lindo! Vou usar na próxima competição para dar sorte!

Depois do bolo fomos brincar no quintal e eu percebi que o Kauã vai ser meu melhor amigo para sempre! Não faz mal que ele não queira mais ser atleta que nem eu. A gente continua sonhando junto, sabe, Desaba? Eu e o Kauã ainda vamos conhecer o mundo, de algum jeito...

Esse aniversário foi demais!

HO! HO! HO! 20 de dezembro
sexta-feira

Hoje foi o último treino do ano. Agora estou de férias de tudo, do treino e da escola.

O Kauã me chamou para ir na casa da vó dele, lá na praia.

Meus pais querem que eu passe as festas em casa. Mas como o treino volta só na segunda semana de janeiro, então eles deixaram eu passar a primeira semana lá com o Kauã. OBA!!! Não vejo a hora.

Eu continuo adorando correr, treinar, mas estava cansado.

Olhei o que escrevi no ano passado em você, Desaba. Este ano estou diferente: estou mais feliz.

É tão bom comemorar as festas assim, leve-leve, que nem passarinho.

TREINAR
13 de janeiro
segunda-feira

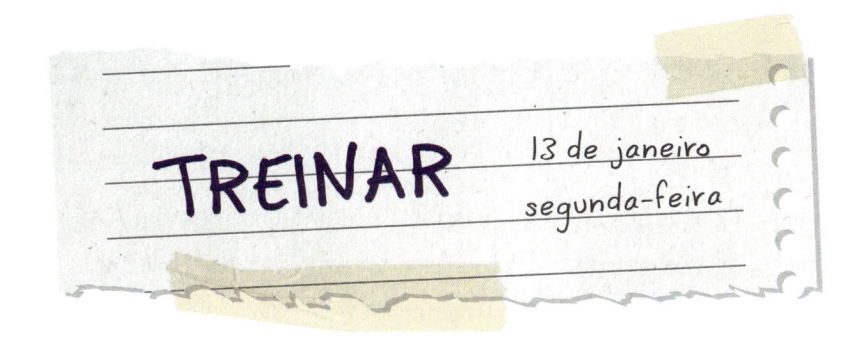

Os treinos recomeçaram hoje. Foi bom demais.
As férias também foram boas.

As festas de Natal e Ano-Novo foram muito legais... Teve árvore enfeitada, presépio, comida gostosa cheirando na casa inteirinha, presente com pacotes bonitos, cartões de Natal, fogos de artifício deixando o céu colorido...

Nesse final de ano eu aproveitei tudo.

Ah, eu ainda descansei, briguei com meus irmãos, brinquei com eles também, nadei no rio, fui para a praia (*a melhor parte das férias!!!*).

Mas voltar a treinar foi legal. Eu estava com saudades.

Conversando com o Marcelo, fiquei sabendo que ele não parou nenhum dia. Treinou direto. O Lucas montou o treino para ele, e o pai do Marcelo o ajudou a acompanhar durante essas semanas.

Fiquei com um pouco de inveja do Marcelo quando soube que o pai dele dá todo o apoio para ele virar atleta um dia... O Marcelo fez 15 anos em dezembro, faz 16 este ano, então vai mudar de categoria nas competições. Ele falou que precisa ir bem nessas competições para conseguir chamar a atenção de algum clube grande da capital. Disse que pode conseguir um tipo de bolsa para treinar num clube desses. Já pensou?

Nossa! Eu também quero isso! Mas quando eu me lembro da competição do ano passado, acho tudo tão difícil! O negócio é treinar-treinar-treinar!

De treinar bastante, será que crio asas nos pés?

CORRENDO

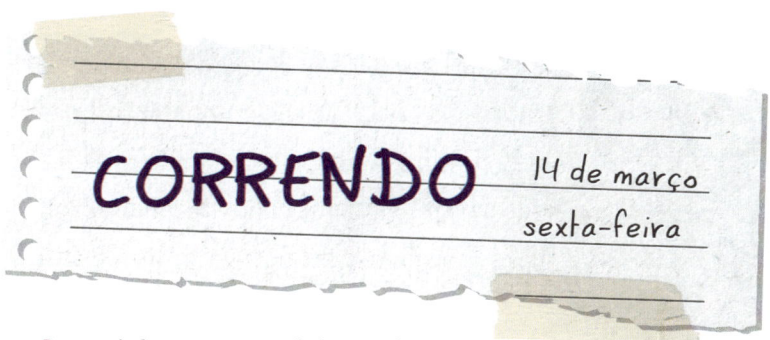

14 de março
sexta-feira

Sumi de novo, não foi, Desaba? Mas tem motivo: estou treinando demais e as aulas começaram...

No final do mês, vamos participar das competições regionais. Agora é pra valer!!!

Pouca gente decidiu participar e estamos treinando separado do pessoal do projeto. O Marcelo brinca que somos a equipe de elite.

Fiquei bem amigo do Marcelo e da Thaís. É que passamos muitas horas juntos, quase todo dia... Continuo amigo do Kauã, claro. Mas só fico com ele na escola e, uma vez ou outra, quando não tenho treino.

O Marcelo treina até quando não tem treino... Por isso, o Lucas deu uma bronca nele, disse que o corpo precisa descansar, se recuperar.

Ele fez que ouviu, mas, depois, quando a gente saiu de lá, ele falou que vai continuar treinando porque é nessa competição regional que vai conseguir chamar a atenção dos clubes da capital.

Mas o Lucas é nosso treinador e ele deve saber o que é melhor, não é?

Michele

Eu estou seguindo o treino que ele e a Michele montaram para mim. A Thaís também. Ela não queria competir, não. Mas disse que acabou indo porque gosta de ficar comigo. É... menina é bicho estranho mesmo. Eu que não ia me meter numa competição só para ficar junto de um colega.

Eu acho que a Thaís gosta é de ficar perto do Marcelo. Tipo, está apaixonada... Por que ela não fala direto, então? Para que ficar rodeando?

Ah, uma coisa legal: vamos ficar hospedados num clube por três dias!!!

Minha mãe ficou meio assim, não queria deixar eu ir. Mas meu pai deixou.

Ele disse que, longe da família, vou aprender a ser homem.

Não sei quando eu vou ter tempo para escrever de novo, mas pode deixar que eu conto tudo o que acontecer.

REGIONAIS

29 de março
sábado

Estou aqui, no meio das regionais!!!

É, trouxe você comigo, Desaba. Achei melhor escrever tudo o que for acontecendo porque não quero esquecer nada! Essa viagem é a coisa mais incrível da minha vida!!!

Chegamos na quinta à noite e dormimos aqui. Parece um acampamento. Pelo menos é isso o que a Thaís fala. Como eu nunca vi um acampamento de verdade, acredito.

Tem muita gente competindo, de tudo que é canto, do estado inteirinho.

Conhecemos mais pessoas do interior e do litoral, que estão hospedadas aqui. Quem é da capital não fica dormindo no clube, então, não temos muito contato. Só na hora das competições e no refeitório.

Eu adorei ter vindo. As competições não acabaram ainda, mas já acho que valeu a pena! Fiz vários amigos e conheci muita coisa nova.

Hoje, o Paulinho, que é do projeto e arremessa peso, caiu fora da competição. Ele machucou

Na correria

o ombro e chorou muito, coitado. Fiquei com pena dele. O Marcelo, que conversa mais com ele, disse que o Paulinho também queria treinar num clube da capital. Depois do que aconteceu, acho que não vai dar, não. Pelo menos não neste ano.

O Marcelo está indo bem. Vai participar das finais amanhã, no revezamento (*aquela corrida do bastão*) e na corrida dos 3 mil metros!

A Thaís não se classificou para as finais de amanhã, mas diz que vai estar feliz, na torcida.

E eu... EU TAMBÉM ESTOU NAS FINAIS!!! Vou correr a prova dos seiscentos metros.

Roendo as unhas de ansiedade!

As eliminatórias foram difíceis. Eu achei que não ia conseguir me classificar para as finais. Tinha cada menino grandão competindo... Todos com a minha idade, mas eu era pequeno perto deles. Eu fiquei nervoso demais, mas me esforcei muito e deu certo. Acabei me classificando em sexto lugar! Todo mundo comemorou.

Agora, amanhã, não sei se vai dar, não. Vai ser tudo muito mais difícil... Tomara que eu consiga ir bem.

A Thaís disse para eu descansar. Ela acha que estou com dor de barriga e está preocupada. Mas não quero falar que vim para o banheiro escrever. Esse é um segredo nosso, Desaba! Vê se torce por mim!!!

Depois conto o resultado disso tudo!

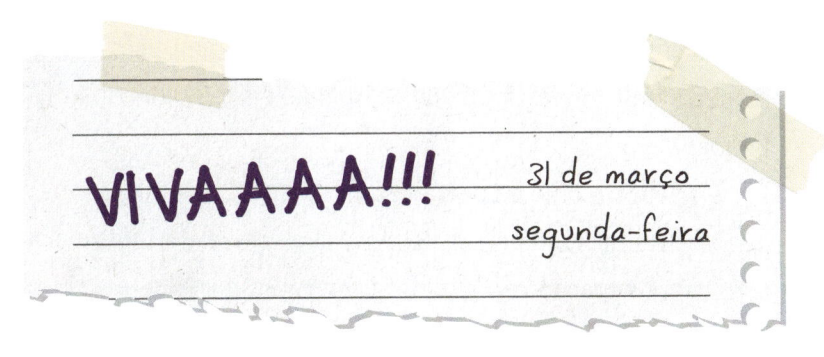

VIVAAAA!!! 31 de março
segunda-feira

Viva nós! Viva tudo! Viva o Chico Barrigudo!!!
Eu estou feliz!!! FELIZZZZ!!!

Ganhei medalha de bronze, Desaba! Nas regionais!!!

A Michele fez eu ligar de lá para dar a notícia para minha mãe! Foi uma gritaria no telefone!!!

Voltei com medalha e teve festa aqui em casa!

Minha mãe mandou eu convidar todo mundo para vir comer um lanche aqui e foi só alegria. Nem meu pai reclamou. E até pegou minha medalha na mão e ficou olhando um tempão!

O Cleiton, como da outra vez, ficou lustrando, lustrando, depois pendurou no pescoço e disse que era dele! Minha avó resolveu a situação rapidinho, recuperou a medalha e a colocou em mim.

A Michele e o Lucas ficaram conversando com meu pai um tempão. Contaram do Marcelo, que ganhou a prata nos 3 mil metros, e que o treinador do clube veio falar com eles, pedindo os contatos da família.

O Marcelo foi o único que não veio aqui para casa, quis descansar e ficar com os pais dele.

A Thaís não saiu de perto de mim... Muito estranho!

Disse que estava muito feliz com a minha medalha. O Cleiton toda hora passava perto de nós dois e falava: "Tá namorando, tá namorando!!!".

Eita menino chato!

A Thaís disse que eu fiquei vermelho.

Ela não ficou, não. E ainda deu um beijo na bochecha do Cleiton. Viu como menina é esquisita?

VOU CORRER ATRÁS

24 de abril
quinta-feira

Desaba, tanta coisa aconteceu do mês passado para cá! Por onde eu começo?

Ahnnn... Pelo Marcelo. Ele vai embora da cidade. Ele vai treinar naquele clube grandão, onde a gente ficou hospedado, acredita? Os pais dele vão mudar para a capital. O clube está até ajudando o pai dele a arrumar emprego. A cidade toda só fala disso.

Já pensou? Daqui a um tempo pode ser eu! Deixa eu crescer mais um pouco! Em agosto vou participar de um campeonato grande, NACIONAL! Só de pensar fico nervoso.

Eu sei que vai ser muito difícil, mas eu quero ser atleta, então estou treinando firme para conseguir o que quero.

O Kauã tem reclamado que não tenho mais tempo nem para tomar banho de rio, mas de vez em quando eu vou... É que não dá para ir sempre, como antigamente.

E tem a Thaís. Ontem, depois do treino, ela veio dizer que não aguentava mais esperar que eu tomasse uma atitude... Aí me deu um beijo na bochecha!

Primeiro eu fiquei mudo. E ela me olhando. Depois, eu falei assim:

– Ô, Thaís, mas você não gostava do Marcelo?

– Quem disse isso?

Voltei a ficar mudo e ela continuou:

– Eu sempre gostei de você, seu bobo! Você não percebeu que eu sempre fiz de tudo pra ficar perto de você?

Eu me senti bobo de verdade. Mas ainda acho menina um bicho esquisito.

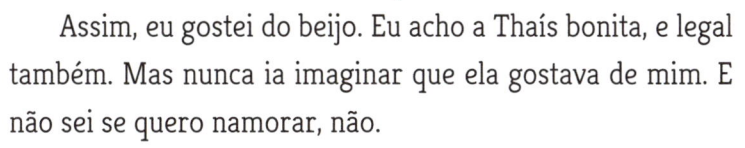

Assim, eu gostei do beijo. Eu acho a Thaís bonita, e legal também. Mas nunca ia imaginar que ela gostava de mim. E não sei se quero namorar, não.

A Thaís me convidou para ir com ela na festa de aniversário da cidade. Ai... Isso é muito complicado. Não quero nem pensar muito.

E não é só essa história que é estranha, não. Meu pai veio conversar comigo outro dia e disse que está feliz de ver que eu não desisto. Fiquei sem entender. Achava que ele não gostava de me ver correndo.

Ele disse que ainda não gosta muito, mas que percebe que é algo importante para mim. E que ele não entende muito, mas que sabe que eu sou bom nisso. E, para terminar, falou que enquanto eu continuar me dedicando aos estudos, posso treinar o quanto quiser. Gostei de ouvir isso.

Minha mãe, depois, falou que meu pai é assim mesmo, meio duro, às vezes, mas que no fundo ele torce por mim.

Será?

É, Desaba, estou na sua última página... Foi bom demais escrever em você. Vou sentir saudades. Vou começar a escrever no caderno que ganhei da minha vó, mas ele não vai ser outro Desaba... Ah, não vai, não.

Acho que você me conhece mais do que todo mundo.

Sabe, da conversa com meu pai, guardei um negócio que ele disse: que eu tenho a sorte de saber o que quero.

Eu sei mesmo, Desaba.

Quero ser atleta.

Quero correr o mundo.

Começar a correr, eu já comecei.

Agora é correr atrás desse sonho.

E correr é comigo mesmo!

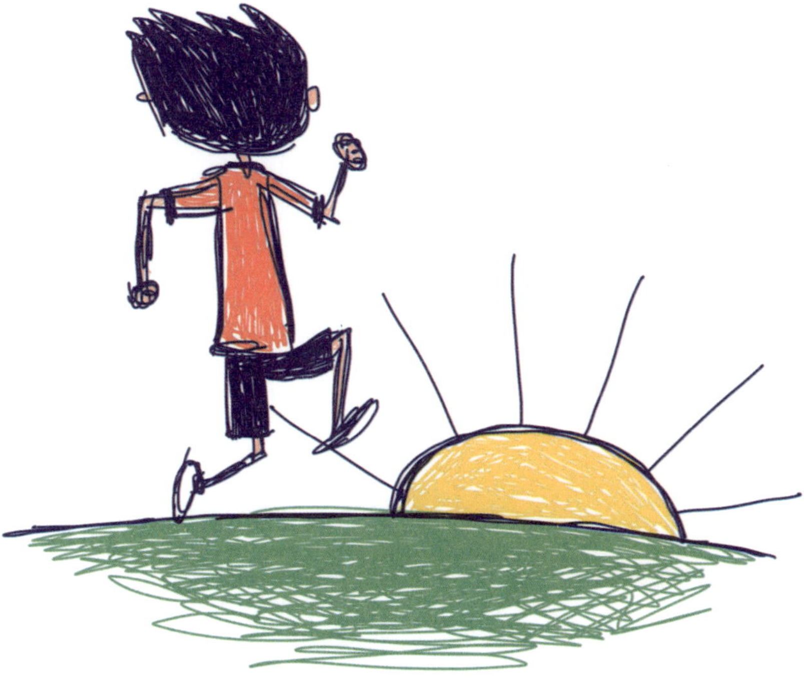

SHIRLEY SOUZA

Quando eu tinha uns sete anos, adorava correr. Fazia tudo correndo e, ao contrário do Cris, vivia caindo e me batendo. Eu era um hematoma ambulante! Ainda assim, continuei correndo e até disputei algumas competições em minha escola... Hoje danço mais do que corro e acredito que é importante, de verdade, a gente se mexer.

Encontrar algo que nos motive, que dê vontade de fazer sempre, que ajude nosso corpo a ficar saudável, é fundamental e nada difícil. Um bom caminho é fazer como essa turma da história, experimentar para ver se gosta. Outra coisa que faço desde pequena é inventar histórias.

Já publiquei 45 livros para crianças e adolescentes. Em 2008 ganhei o Prêmio Jabuti pelo livro *Caminho das pedras* e o Prêmio Jóvenes del Mercosur (Argentina) com o livro *Rotina (nada normal) de uma adolescente em crise*.

FÁBIO SGROI

Eu nasci na cidade de São Paulo em 1973 e sempre gostei de desenhar. Já ilustrei uma porção de livros, até perdi a conta. Já escrevi alguns também, entre eles *O livro do lobisomem*, *Sob controle* e *Ser criança é – Estatuto da criança e do adolescente para crianças*.

Sou formado em desenho industrial e, atualmente, além de ilustrar e escrever livros, também viajo ministrando cursos e oficinas para professores e alunos de diversas escolas espalhadas pelo Brasil.

Este livro eu ilustrei usando canetinhas coloridas (daquelas de escola mesmo) e fazendo retoques no computador. Para conhecer outros trabalhos e livros meus acesse: www.fabiosgroi.blogspot.com.br.